P'TiT L

ne veut pas partager

Orianne Lallemand
Éléonore Thuillier

Aujourd'hui, P'tit Loup a invité sa cousine Louna
à jouer à la maison.
Il est très pressé qu'elle arrive.
Mais que fait-elle ?

Ah, enfin, la voilà !

Comme il ne fait pas beau dehors,
Maman sort les puzzles.

« Je prends le puzzle
des trois petits cochons ! dit Louna.
— NON ! crie P'tit Loup, c'est MON puzzle.
Je ne le prête pas.
— Sois mignon, P'tit Loup, intervient Maman.
Prête ce puzzle à Louna.
— Non, il est à moi », répète P'tit Loup.

Et il se met à bouder.

Les puzzles sont terminés.
Maman va chercher des coloriages
et le gros pot de crayons.
Louna tend la patte pour attraper
un feutre, quand tout à coup :
« NON ! crie P'tit Loup. Ce sont MES crayons !
Il ne faut pas les user.
— Mais voyons, P'tit Loup, dit Maman,
quand ils seront usés, on en rachètera. »

Mais P'tit Loup n'est pas d'accord.

« Je vais jouer dehors, dit-il très fort.
— Parfait, répond Maman, cela te changera les idées.
Mais, s'il te plaît, laisse Louna finir le dessin
qu'elle a commencé. »

Dans le jardin, P'tit Loup va à la balançoire
mais elle est toute mouillée.
Il cherche des escargots, mais ils sont bien cachés.

Tout seul, sous la pluie, il s'ennuie.

P'tit Loup rentre et il dit à Louna :
« Si tu veux, on peut jouer
dans ma chambre tous les deux ?
— D'accord ! » dit Louna.

Les deux louveteaux filent, mais badaboum !
Louna tombe dans l'escalier.
Aïe, ça fait mal ! Elle se met à pleurer.

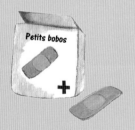

Que faire pour la consoler ?
P'tit Loup a une idée.
Il disparaît dans sa chambre
et revient les bras chargés de doudous.
« Je te prête mes doudous préférés », dit-il à Loun

Louna sourit et pfff ! son chagrin s'enfuit.

Dans la chambre, P'tit Loup et Louna
font la classe aux doudous.

P'tit Loup prend les plus grands :
il leur apprend à compter.
Louna prend les plus petits :
elle les met sur le pot et puis hop ! au dodo !

Toc ! Toc ! Toc ! Maman frappe à la porte.
« Je vois que vous êtes bien occupés, dit-elle,
mais l'école doit fermer.
La maman de Louna est arrivée.
— Désolé, dit P'tit Loup,
mais ce n'est pas l'heure des parents.
Reviens plus tard, Maman ».

Toutes les histoires tendres et malicieuses
de P'TiT LOUP

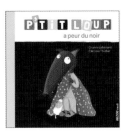

Direction générale : Gauthier Auzou – Responsable éditoriale : Maya Saenz-Arnaud
Conception graphique : Alice Nominé – Responsable fabrication : Jean-Christophe Collett – Fabrication : Abella Lang
Correction : Isabelle Delatour-Nicloux